Om uttal

/åm uttal/

Marie Håkansson
Annika Stenquist

Almqvist & Wiksell

ISBN 91-21-15050-8

Typografi och omslag: Arne Öström, Ateljén
Illustrationer: Eva Rönnblom

Utgivning har skett med produktionsstöd från Statens
institut för läromedel

Tredje upplagan
3

Tryck:
Elanders Gotab
Stockholm 1999

Liber AB, 113 98 Stockholm
tfn 08-690 92 00
www.liber.se
kundtjänst tfn 08-690 93 30, fax 08-690 93 01,
e-post: kundtjanst.liberab@liber.se

Innehåll

Förord

Mycket få vuxna har förmågan att tillägna sig ett nytt språks uttal enbart genom härmning. Vår åsikt är att en medvetenhet och insikt om de fonologiska reglerna och deras samband är alldeles nödvändig för att en språkinlärare aktivt ska kunna förbättra sitt uttal.

Enligt den utgångspunkten har vi samlat och sammanställt de förklaringar och presentationer vi själva har använt i uttalsundervisning och SFI-undervisning. Materialet är tänkt att användas av lärare och elever. Det bör närmast fungera som ett slags faktasamling, där man kan slå upp och kontrollera sådant som rör uttalet, samt som utgångspunkt för genomgång och övning av olika uttalsfenomen.

Vår ambition har varit att hålla ett invandrarperspektiv, dvs att försöka ge förklaringar som inte redan kräver kunskaper om svenska språket och att förklara på ett så enkelt och överskådligt sätt som möjligt, utan att för den skull ge avkall på fullständighet.

Materialet är baserat på vårt eget uttal och har därför delvis en göteborgsk prägel. Många kanske invänder mot vårt sätt att presentera vokalljudens antal och kvalitet, eller vår syn på vad som är normal reducering. Var och en som använder vårt material bör anpassa markeringar och regler till sitt eget uttal eller det som gäller på orten.

Vi vill tacka våra vänner och kollegor på Kursverksamheten och Ånässkolan i Göteborg, vilkas intresse och värdefulla synpunkter har fört arbetet framåt. Vi tackar också Per Lindblad (Institutionen för fonetik vid Göteborgs universitet) som har hjälpt oss med mingogram, samt Roger Källström (Institutionen för nordiska språk, avd för svenska som andraspråk vid Göteborgs universitet) och Anders-Börje Andersson (Institutionen för lingvistik vid Göteborgs universitet) för fackgranskning och kommentarer.

Marie Håkansson
Annika Stenquist

1. Vokaler och vokalljud

Det finns nio vokaler:

a e i o u y å ä ö

a	=	vokal
/a/	=	vokalljud
/a̲/	=	långt vokalljud
/ạ/	=	kort vokalljud

Man brukar dela in vokalerna i två grupper, främre och bakre.
Främre vokaler: i y u e ö ä
Bakre vokaler: o å a

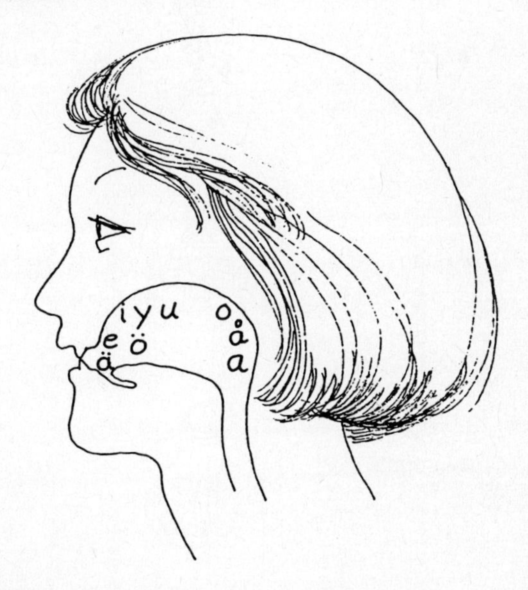

Några vokaler uttalas med runda läppar:
Rundade vokaler: y ö u o å a
Orundade vokaler: i e ä

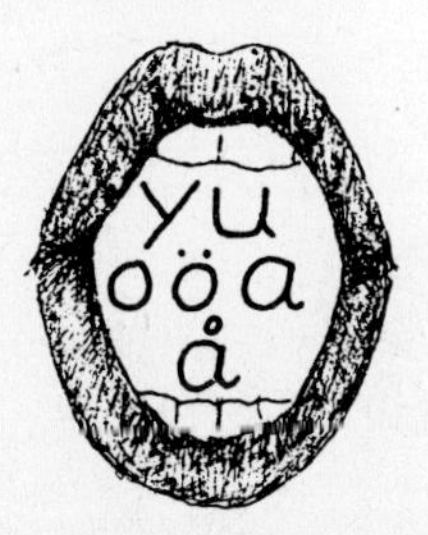

En bokstav och ett ljud är inte samma sak.
Det finns tjugotvå vokalljud i svenskan.
Tecknen inom / / markerar uttalet:

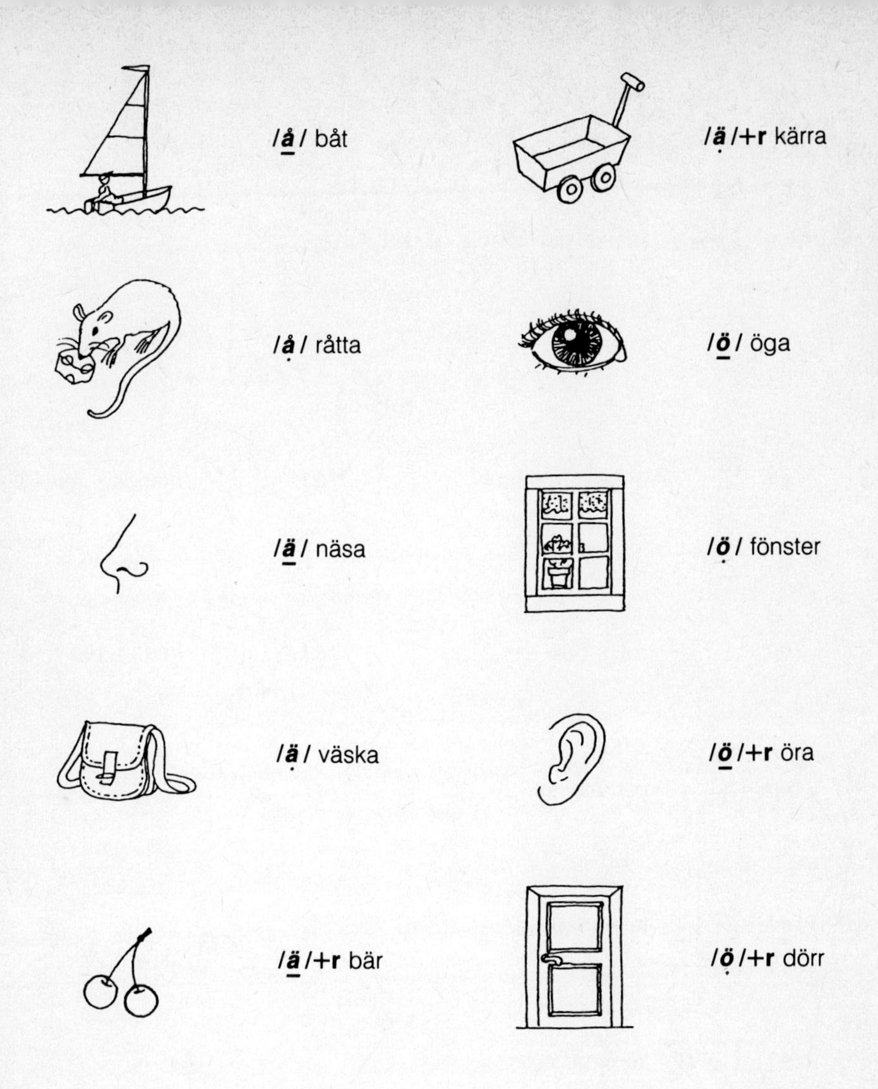

Mer om vokalljuden i kapitel 22.

2. Vokaler och uttal

En vokal kan uttalas på flera olika sätt:

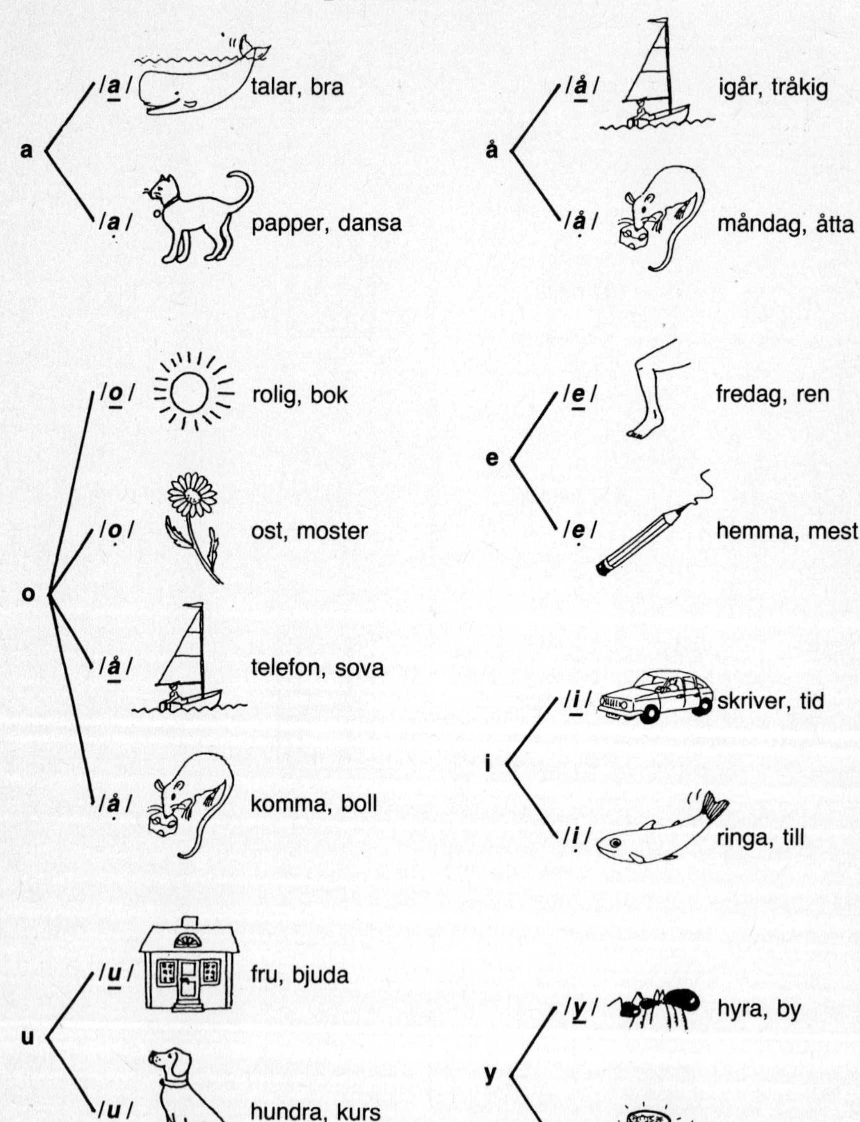

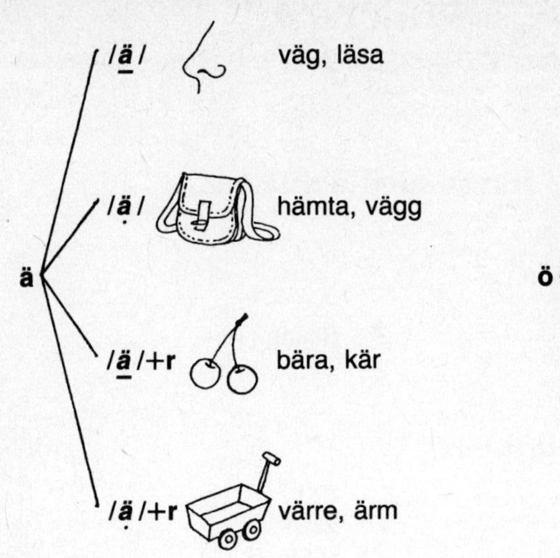

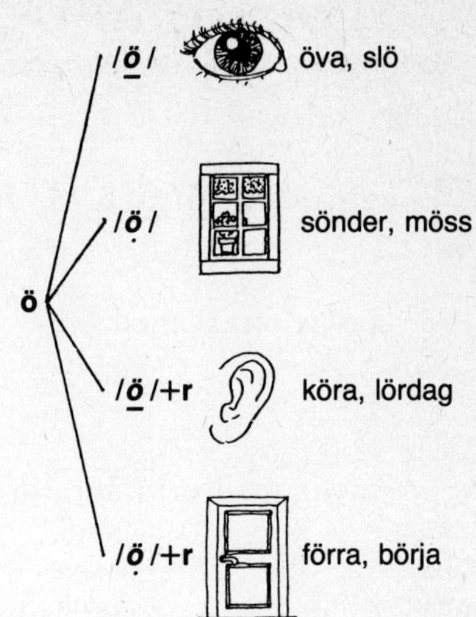

/ä̲/, /ạ̈/, /ö̲/ och */ọ̈/* får ett mer öppet uttal framför **r:**

län – lär	mätt – märr	hö̲na – hö̲ra
ä̲ta – ä̲ra	lạ̈tta – lạ̈rka	mọ̈tt – mọ̈rk

Många svenskar gör ingen skillnad på */ẹ/* och */ạ̈/* :

mẹst – hạ̈st	pẹng – sạ̈ng	vẹcka – vạ̈cka
vẹrk – vạ̈rk	hẹrre – vạ̈rre	tẹrm – ạ̈rm

/ọ̈/ och */ọ̈/* +r kan uttalas lika:

fọ̈ll – fọ̈rr	drọ̈m – dọ̈rr	mọ̈nster – mọ̈rker

3. Vokalljud och stavning

Vokalljuden /å̲/ och /ạ̊/ stavas med å eller o.

/å̲/ stavas oftast med **å**:

fråga	gå	Skåne

/å̲/ stavas med **o** i några ord t ex:

Ford	lova	son
hov	Polen	sova
lov	rodna	strof

Ord som slutar på betonat -fon, -log och -nom uttalas /å̲/:

megafon	dialog	agronom
telefon	psykolog	ekonom

/ạ̊/ stavas med **å** eller **o**:

måste	åtta	håll
morgon	orka	boll

Det finns inga regler som säger om /ạ̊/ stavas med **å** eller **o**.

4. Konsonanter och konsonantljud

Det finns tjugo konsonanter:

b	= konsonant
/b/	= konsonantljud
◡ ⌢	= två bokstäver, men ett ljud

b c d f g h j k l m
n p q r s t v w x z

En bokstav och ett ljud är inte samma sak.
Det finns tjugotre konsonantljud.
Tecknen inom / / markerar uttalet:

/**b**/	båt, gubbe, klubb	/**rd**/	lördag, bord
/**d**/	dag, middag, röd	/**rl**/	pärla, farlig
/**f**/	fin, kaffe, straff	/**rn**/	gärna, barn
/**g**/	gata, ligga, lag	/**rs**/	förstå, kors
/**h**/	häst, hus	/**rt**/	tårta, sport
/**j**/	jag, tröja, maj	/**s**/	sal, lossa, hiss
/**k**/	kål, baka, tak	/**t**/	tid, titta, slut
/**l**/	låt, bolla, nål	/**v**/	vill, leva, hav
/**m**/	mat, mamma, dam	/**ng**/	ingen, säng
/**n**/	ny, penna, fin	/**sj**/	sju, duscha, usch
/**p**/	på, papper, läpp	/**tj**/	tjugo, kött
/**r**/	rak, bära, torr		

Mer om konsonantljuden i kapitel 23.

5. Konsonanter och uttal

→	= blir

Liksom vokalljuden är konsonantljuden långa eller korta. Efter ett långt, betonat vokalljud kommer ett kort konsonantljud, och efter ett kort, betonat vokalljud kommer ett långt konsonantljud.

fina – finna	väg – vägg	ful – full
dam – damm	stil – still	lös – löss

Konsonantljuden */b/*, */d/*, */g/*, */p/*, */t/* och */k/* kan man inte uttala långt. Istället gör man en liten paus före konsonantljudet.

gubbe	middag	ligga
pappa	titta	tacka

Läs mer om kort och långt konsonantljud i kapitel 8.

q → */k/*	Qvist, Qvarnström, Stenquist
w → */v/*	Wallin, Werner, Wilander
z → */s/*	Zetterlund, zebra, zon, zoo

x → */ks/*	byxor, sex, läxa, strax

r+d → */ɖ/*	jord, vård, hörde, lördag
r+l → */ɭ/*	farlig, pärla, Arlanda, härlig
r+n → */ɳ/*	varna, hörn, barn, tärning
r+s → */ʂ/*	förstå, person, Lars, Farsta
r+t → */ʈ/*	ort, borta, tårta, kartong

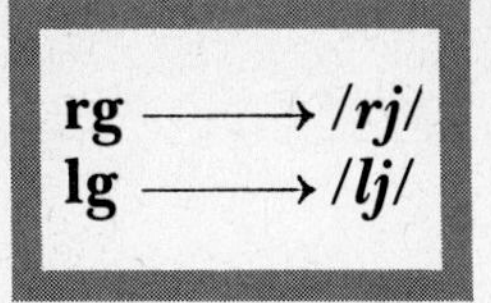

Göteborg, färg, arg, torg
alg, helg, älg

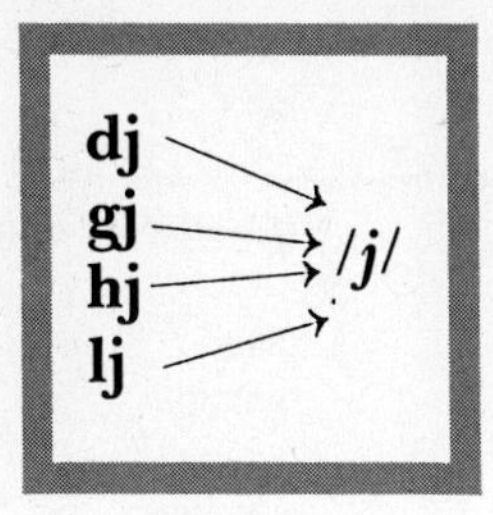

djur, djungel, djup, djävul
gjorde, gjuta
hjärta, hjälpa, hjul, Hjalmar
ljud, ljus, ljuga, ljung

C, g, k och sk har två olika uttal.

U och de bakre vokalerna **a, o** och **å** kallas också hårda vokaler. De ger ett hårt uttal av konsonanterna **c, g, k** och **sk.** De främre vokalerna **e, i, y, ä** och **ö** kallas mjuka vokaler. De ger ett mjukt uttal av **c, g, k** och **sk** i betonad stavelse eller i början av ett ord eller en orddel.

Hårda vokaler: a o u å
Mjuka vokaler: e i y ä ö

café, container, curry, crawl
gata, god, gul, gå, glad
kal, ko, kul, kål, kniv
ska, sko, skulle, skål, skratta

c	+ MJUK VOKAL SOM ÄR BETONAD ELLER I ORDETS FÖRSTA STAVELSE →	/s/	centrum, citron, cykel
g		/j/	genom, gillar, gymnastik, gärna, gör, begära
k		/tj/	kemì, Kina, kyss, kär, köra, inköp
sk		/sj/	sked, skinka, skynda, skär, skön, försköna

Framför obetonad, mjuk vokal får g, k och sk hårt uttal:

egen	enkel	asken
höger	säker	fläsket
magen	taket	handske

Undantag:

g→ /*g*/	**g→ /*s͡j*/**	**g→ /*j*/**	**g→ /*g*/eller /*j*/**
gem	bagage	säga	giffel
gerilla	gelé	säger	marginal
getto	generad		originell
logik	geni		zigenare
	gest		tangent
	giraff		

k→ /*k*/	**k→ /*t͡j*/eller /*k*/**	**sk→ /*sk*/**	**sk→ /*s͡j*/**
arkiv	arkitekt	skelett	kanske
kebab	kex	skeptisk	människa
keps	kilo	sketch	människor
kick	kiosk	skiss	
kidnappa			
kille			
kissa			
kö			
kör			
paket			

Mer om stavning av /*s͡j*/ och /*t͡j*/ i kapitel 6.

6. Konsonantljud och stavning

Kort och långt konsonantljud stavas olika.
Kort konsonantljud skrivs med en konsonant:

hus	rolig	tåget

Långt konsonantljud dubbeltecknas i ordslut och före vokal:

vill	damma	papper
sommar	hiss	tittade

Långt k-ljud skrivs med **ck:**

tack	ficka	släcka

Före konsonant stavas långt konsonantljud oftast med bara en konsonant:

dansa	plats	vals
syster	hemsk	torka

Många vanliga ord som slutar på **m** och **n** uttalas med långt konsonantljud, trots att de bara har en konsonant:

den	igen	sen (sedan)
fem	kan	som
han	kom	vem
hon	man	vän

Långt j-ljud skrivs alltid med en konsonant:

hej	kavaj	lejon

/n͡g/ kan stavas på tre sätt:

ng	g + n	n + k
säng /*sän͡g*/	vagn /*van͡gn*/	*bank* /*ban͡gk*/
pengar /*pen͡gar*/	lugn /*lun͡gn*/	tänka /*tän͡gka*/
lång /*lån͡g*/	ugn /*un͡gn*/	anka /*an͡gka*/

Undantag:

ng → /*n͡gg*/	fungera, hangar
	angå, ingå, frångå
ng → /*nj*/	ange, angöra, angivare, ingift
gn → /*gn*/	bågna, mogna, segna, trogna

I kapitel 24 står det mer om n͡g-ljudet.

/*s͡j*/ stavas oftast med sj eller sk:

sju	sjunga	sjö
skynda	skära	skön

/*s͡j*/ kan stavas på flera andra sätt:

skj	stj	sch	sh
skjorta	stjäla	dusch	milkshake
skjul	stjärna	fräsch	shejk
skjuta	stjälpa	marsch	sheriff
skjuts	stjälk	schack	shop
	stjärt	schampo	shorts
		schema	show
		schäfer	

ch	**g**	**ge**	**si + on**
champinjon	gelé	garage	explosion
chans	genera	fromage	kollision
charm	generös	massage	pension
chaufför	geni	passage	version
chef	giraff		vision
chock			
choklad			
lunch			

ssi + on	**ti + on**	**t** uttalas i:	**j**
depression	aktion	motion/ *måtsjon* /	jargong
diskussion	infektion	nation/ *natsjon* /	jasmin
mission	situation	portion/ *pårtsjon* /	jour
passion	station		journal
	tradition		journalist

/*tj*/ stavas oftast med tj eller k:

tjata	tjur	tjusig
kök	kär	kylig

/*tj*/ stavas också:

kj	**ch**
kjol	charter
	check
	chips

7. Stavelser

En stavelse har en vokal som kärna.

Före vokalen finns ingen, en, två eller tre konsonanter:

i	bi	sko
å	tå	strå

Efter vokalen finns från noll till högst fem konsonanter:

ö	ask	hemskt
is	fransk	västkustskt

Ett ord har normalt lika många stavelser som det finns vokaler:

ö
bilar
paraply
stavelserna
livsmedelsaffär
arbetsförmedlingen
matematikböckerna
arbetsmarknadspolitiken
departementssekreterare
universitetsbiblioteket

Det finns ord där två vokaler bildar stavelsens kärna:

augusti	jeans	radio
autograf	leasa	restaurang
automat	passion	station
depression	piano	terapeut
Europa		

8. Betoning

En stavelse är antingen betonad eller obetonad.
En betonad stavelse uttalas med mer energi och är längre än en obetonad. Det är stor skillnad mellan betonad och obetonad stavelse:

gata	öarna	instrument
matta	cigarett	avbetalningarna
café	försöka	decentralisera

—	=	betonad stavelse
◡	=	obetonad stavelse
V	=	vokal
K	=	konsonant
—	=	långt ljud
·	=	kort ljud
☐	=	stavelse

En betonad stavelse
- **är lång**
- **är stark och har ett extra tryck**
- **har något av de 22 vokalljuden**
- **har melodiförändring**

En obetonad stavelse
- **är kort**
- **är svag**
- **gör ingen skillnad på långt och kort vokalljud**
- **är monoton**

Det finns två typer av betonade stavelser:

V(K) Långt vokalljud + inget eller kort konsonantljud:

ö	öl	bada
så	ros	leka

V K Kort vokalljud + långt konsonantljud:

till	hund	hoppa
hiss	valp	lampa

Både V(K) och V K är långa, betonade stavelser:

mat – matt	bil – Bill	rös – röst
heta – hetta	vin – vinn	ärad – ärrad

Det är vokalens längd som är viktigast.
Konsonantens längd följer automatiskt. I fortsättningen markerar vi bara vokalen i den betonade stavelsen.

9. Ordbetoning

Ett ord har en eller två betonade stavelser, aldrig mer.
Om ordet bara har en stavelse, är den betonad:

bank	läs	katt
Sven	buss	gå

I ord med två eller fler stavelser, kan man inte veta vilken stavelse som är betonad. Betoningen kan ligga på den första stavelsen:

hundra	dator	tidigt
stavelse	musiker	kompisarna

Betoningen kan ligga på sista stavelsen:

familj	förstå	affär
bageri	apelsin	internationell

Betoningen kan ligga på någon av stavelserna i mitten:

berätta	försöker	betoning
orkestrarna	bibliotekarie	promenera

Sammansatta ord har två betonade stavelser:

rökfri	jättestor	centralstationen
tusenlapp	cigarettändare	sjukvårdsbiträde

Betoningen har ingen fast plats i svenskan. När man lär sig nya ord, måste man därför alltid lära sig hur de betonas.

10. Satsbetoning

Ett ensamt ord är alltid betonat:

Hej!	Jaså!	Åttio?
Maria.	Imorgon.	Förmodligen!
Kanske.	Läser?	Kalmar.

I ett yttrande är bara de viktigaste, de mest intressanta orden betonade:

M: Jag heter Maria. Vad heter du?

T: Jag heter Tom. Varifrån kommer du?

M: Jag kommer från Chile.

T: Jaså du. Och vad talar du för språk?

M: Jag talar spanska, lite engelska och lite svenska också. Varifrån är du själv?

T: Jag är från Uganda.

M: Jaha du. Vad talar du för språk, då?

T: Jag talar luganda och engelska och lite svenska.

M: Hur länge har du varit i Sverige?

T: Jag har varit här i en månad. Och du då?

M: Jag kom hit för sex månader sen. Var bor du nånstans?

T: Jag bor i Angered nu, men jag ska flytta till Utlanda-gatan om en vecka.

11. Vilka ord brukar betonas?

Ord som ger viktig information, innehållsord, brukar vara betonade. Små grammatikord, formord, brukar vara obetonade.

Ord som brukar betonas:	**Ord som inte brukar betonas:**
Substantiv: sol, kaffe, fredag	Pronomen: den, det, hans, min, någon
Huvudverb: talar, ska åka, lekte	Hjälpverb: ska, kunde, måste
Adjektiv: gul, trött, knäpp	Vara och ha: är, var, har varit, hade haft
Adverb: fantastiskt, alltid, fort	Vissa adverb: nog, väl, ju, inte
Räkneord: en, tolv, femte, trettionde	Artiklar: en, ett, den, det, de
Verbpartiklar: tycka om, tänka efter	Prepositioner: i, på, till, om, efter, över
Namn: Svensson, Oslo, Falkgatan	Konjunktioner: och, men, trots att, så att
Interjektioner: Aj!, Fy! Jävlar!	Frågeord: vem, hur många, vilken

T: Vad gör du här i Sverige?
M: Jag arbetar som städerska på ett sjukhus. Och du?
T: Jag läser svenska på Ånässkolan.
M: Vad gjorde du när du bodde i Uganda, då?
T: Jag arbetade som taxichaufför. Och vad gjorde du tidigare?
M: Jag läste matematik på universitetet.

12. Frasbetoning

Två eller flera ord bildar ofta en enhet, en fras med en betydelse.

En fras har bara ett betonat ord, oftast det sista ordet i frasen. En person är en enhet, men har både för- och efternamn. Bara efternamnet är betonat.

Personer, platser, varumärken etc.:

Ingvar Carlsson
fru Svensson
doktor Wahlgren
Carlos Rossi

Röda torget
Vita huset
Västra Frölunda
kinesiska muren

Coca Cola /*koka kåla*/
Lätt & Lagom
B & W /*beåve*/
Stor & Liten

Liten, gammal + substantiv:

det lilla huset
en gammal gubbe

en liten flicka
vår gamla bil

min lille son
den gamle mannen

"Liten" och "gammal" kan betonas, när det är viktigt att markera att något/någon är liten eller gammal.

min lilla flicka – min lilla flicka (inte min stora).

Mått, mängd, antal etc.:

ett glas vatten
en kopp kaffe
en liter mjölk
en flaska vin
ett kilo potatis
ett gram smör

en deciliter saft
ett ton vete
en back öl
en säck morötter
ett ark papper
en burk tomater

ett paket cigaretter
en påse karameller
ett dussin handdukar
ett tjog ägg
en massa människor
några droppar regn

Verb + substantiv:

dricka kaffe	äta frukost	spela tennis
dricka ett glas öl	äta en smörgås	spela teater
titta på TV /*teve* /	gå på bio	dansa tango
titta på video	gå på disko	dansa folkdans
åka på semester	gå i skolan	arbeta skift
åka till landet	gå i kyrkan	arbeta deltid
lyssna på radio	ta bussen	läsa svenska
lyssna på skivor	ta tåget	läsa tidningen
skriva brev	tala spanska	laga mat
skriva diktamen	tala grekiska	koka kaffe

Gå, gå ut, ligga, sitta, stå + verb:

gå och lägga sig	ligga och läsa	stå och vänta
gå och handla	ligga och vila sig	stå och glo
gå ut och dansa	sitta och prata	
gå ut och gå	sitta och äta	

Börja, sluta, försöka, bruka, behöva, tänka + verb:

Hon börjar arbeta klockan åtta.
De slutar jobba klockan fem.
Vi försöker lyssna på vår lärare.
De brukade träffas på biblioteket.
Man behöver äta varje dag.
Han tänker flytta.

13. Reduceringar och förändringar

/ = uttalas inte

Ord som är obetonade i ett yttrande reduceras ofta, dvs man tar bort något eller ändrar ordet.

Många vanliga ord reduceras i normalt tal:

att /å/ (framför infinitiv)
MEN: att /att/ (bisatsinledare)
dag
dagen
dagar
*de /dåm/
*dem /dåm/
det
MEN: den /den/
*dig /dej/
hur (före konsonant)
goddag
godmorgon
godkväll
godnatt

idag
imorgon
imorgon
inget
jag
ledsen
med
middag
*mig /mej/
morgon
morgnarna
mycket
månaden
nej
någon

något
några
och /å/
*sedan
*sig /sej/
skall
tidning
till
tillsammans
vad
var (före konsonant)
vid
vilken
vilket
vilka

*"De" och "dem" stavas ibland också "dom".
"Dig", "mig" och "sig" stavas också "dej", "mej", "sej".
"Sedan" kan stavas "sen".

Veckodagarna:

måndag
tisdag
onsdag
torsdag
fredag
lördag
söndag

Räkneord:

tjugo /tjuge/ | trettio | sextio
tju~~go~~ett | fyrti~~o~~ /förti/ | sjutti~~o~~
tju~~go~~två osv. | femti~~o~~ | åtti~~o~~
 | | nitti~~o~~

Kort r i ordslut före konsonant:

Vad tala~~r~~ Carmen?
Hu~~r~~ mycket penga~~r~~ vill du ha?
Dricke~~r~~ Bo öl?
Några flicko~~r~~ leke~~r~~ på gården.

Kort **r** i ordslut före vokal reduceras inte:

Hur‿ofta badar‿Olle?
De leker‿i rummet?
Har‿Ulla bil?
Dricker‿Oskar‿öl?

Kort **r** i ordslut före **d, l, n, s** och **t** blir /rd/, /rl/, /rn/, /rs/ och /rt/:

Hur‿står‿det till?
Bor‿Lars i Partille?
Vilka bilar‿tycker‿du om?
Har‿ni pärlor?

Adjektiv/adverb som slutar på -ig, -igt, -iga och -igen:

roli~~g~~ | smutsi~~g~~ | besvärli~~g~~ | antagli~~g~~en
roli~~g~~t | smutsi~~g~~t | besvärli~~g~~t | egentli~~g~~en
roli~~g~~a | smutsi~~g~~a | besvärli~~g~~a | möjli~~g~~en

Adjektiv/adverb som slutar på -skt:

fantastis~~k~~t | hems~~k~~t | svens~~k~~t
frans~~k~~t | ekonomis~~k~~t | löms~~k~~t

Pluraländelsen -or:

flickor /*flicker*/ blommor /*blommer*/ frågor /*fråger*/

Vissa verb och verbformer:

är	stod /*stog*/	tagit /*tagi*/, /*tage*/, /*tatt*/
var	förstod /*förstog*/	dragit /*dragi*/, /*drage*/, /*dratt*/
vara	haft /*hatt*/	blivit /*blivi*/, /*blive*/, /*blitt*/
varit /*vari*/, /*vare*/, /*vart*/, /*vatt*/	givit /*jivi*/, /*jive*/, /*jett*/	

Imperfektändelsen -ade:

talade hoppade lastade

Hur mycket man reducerar och ändrar beror bl a på situationen och på hur fort man talar. Man reducerar också olika mycket och på olika sätt i olika delar av Sverige.

14. Melodi

↗ = melodiförändring
↘ = slutintonation

I de långa, betonade stavelserna förändras melodin.
I de obetonade stavelserna däremellan går melodin monotont.

Normalt faller melodin i slutet av ett yttrande.
Det kallas slutintonation. Slutintonationen är oftast likadan i påståenden och frågor.

M: Förresten, har du flyttat än?

T: Ja, det har jag. Jag flyttade faktiskt för en vecka sen.

M: Trivs du bättre i den nya lägenheten?

T: Ja, det gör jag verkligen! Men den är hemskt dyr förstås.

M: Jaså. Vad betalar du i hyra?

T: Tvåtusen i månaden, för ett rum och kök!

M: Vaa! Det är ju inte klokt! Tvåtusen!

15. Frågeintonation

Normalt har en fråga fallande slutintonation.
En fråga och ett påstående har samma intonation, men hela melodin ligger högre i en fråga än i ett påstående:

Kommer du i morgon? Jag kommer imorgon.

Ska vi spela tennis? Vi ska spela tennis.

Får jag röka här? Du får gärna röka här.

Ofullständiga frågor har stigande slutintonation.
Dessa frågor avslutas ofta med ett obetonat "då":

När? Imorgon? Vill du?

Och jag då? I köket då? Din man då?

16. Fokusering

Den som talar bestämmer själv vad som är viktigt i det hon säger, dvs vad hon vill fokusera.
Fokusering betyder att man framhäver något. Det gör man genom att betona ett ord som normalt är obetonat, eller genom att ge ett redan betonat ord extra längd och större melodiförändring. Med fokusering förändrar man ett yttrandes betydelse:

Neutralt:	**Fokuserat:**
Varifrån kommer du?	Varifrån kommer du? (jag är intresserad av just dig)
Jag kommer från Chile.	Jag kommer från Chile. (men min man kommer från Sverige)
Jag talar lite svenska.	Jag talar lite svenska. (mycket lite svenska)
Kan du laga mat?	Kan du laga mat? (det trodde jag inte)
Ja, det kan jag.	Ja, det kan jag. (jag är verkligen en duktig kock)
Jag vill inte gå på bio.	Jag vill inte gå på bio. (absolut inte)

Mamma har rest bort.

Mamma har rest bort.
(men inte pappa)

Hon är gift.

Hon är gift.
(vi trodde hon var ogift)

Mina barn går på dagis.

Mina barn går på dagis.
(men inte deras barn)

Han bakar bröd.

Han bakar bröd.
(han köper inte bröd)

Hon läser aldrig.

Hon läser aldrig.
(aldrig någonsin)

17. Partikelverb

Partikelverb är verb som består av två delar, ett verb + en partikel. Betoningen ligger alltid på partikeln. Partikelverben har en annan betydelse än det ensamma verbet:

Tycka: Vad tycker du om regeringens förslag?	**Tycka om:** Jag tycker inte om regeringens förslag.
Hälsa: Du måste hälsa på mormor.	**Hälsa på:** Du måste hälsa på mormor.
Gå: Vi tänker gå hem.	**Gå hem:** Vi tänker gå hem.
Bjuda: Han bjöd henne.	**Bjuda upp:** Han bjöd upp henne.
Lägga: Han har lagt barnen.	**Lägga av:** Han har lagt av att röka.
Komma: Jag kommer inte på festen.	**Komma på:** Jag kommer inte på vad jag ville säga.
Stänga: Kan du stänga fönstret!	**Stänga av:** Kan du stänga av TV:n!
Köra: Jag vill inte köra lastbilen.	**Köra om:** Jag vill inte köra om lastbilen.
Se: Han såg efter sin lillasyster.	**Se efter:** Han såg efter sin lillasyster.
Hålla: Han höll Lena i handen.	**Hålla med:** Han höll med Lena.
Sätta: Har du satt potatisen?	**Sätta på:** Har du satt på potatisen?

18. Uttal och känslor

Melodin och tonhöjden varierar beroende på hur man känner sig när man talar.
När man är glad, positiv, intresserad, entusiastisk eller pigg ligger hela melodin högt och skillnaden mellan den högsta och lägsta tonen (melodikurvan) är stor:

Ja, just det!
Ja, det säger vi!

När man är ledsen, trött, besviken, blyg, ointresserad, sjuk, hemlighetsfull eller uttråkad ligger melodin lägre och melodikurvan är jämnare:

Det spelar ingen roll.   Jaha.

Det hörs i hela satsmelodin hur man känner sig, och kanske speciellt i de små ord och fraser, returord, som man använder när man talar med varandra:

Ja!	Nej!	Jaha!
Nähä!	Jo!	Joho!
Jaså!	Jaså du!	Aha!
Mmm . .	Hm!	Nja!
Bra!	Fint!	Jättebra!
Aldrig!	Absolut!	Så där!

Intresserat med hög melodi: Aha! Mmm . .

Ointresserat med låg, fallande melodi: Aha! Mmm . .

19. Betoning av enkla och sammansatta ord

Svenskan är ett språk som kan bilda nya ord genom sammansättning. För att kunna betona ett ord rätt, måste man förstå hur ordet är sammansatt.

Enkla ord, grundord, har en betonad stavelse:

kamrat
ring
jätte
tråkig

strumpa
byxor
skola
bibliotek

läsa
bok
övning
köra

I ord som är sammansatta av två grundord behåller båda orden sin betoning:

kamrat + ring = kamratring
jätte + tråkig = jättetråkig
strumpa + byxor = strumpbyxor

skola + bibliotek = skolbibliotek
läsa + bok = läsebok
övning + köra = övningsköra

Ord som är sammansatta av fler än två grundord, behåller det första ordets första betoning och det sista ordets sista betoning. Alla andra stavelser som varit betonade i enkla ord förkortas, men vokalerna behåller oftast sin kvalitet:

höghus + hyresgäst = höghushyresgäst

symaskin + reparatör = symaskinsreparatör

fackförening + möte = fackföreningsmöte

jämställdhet + ombudsman = jämställdhetsombudsman

spårvagn + hållplats = spårvagnshållplats

kursdeltagare + avgift = kursdeltagaravgift

(–) = förkortad, obetonad vokal

20. Prefix och suffix

Många ord är sammansatta av ett grundord plus prefix eller suffix, eller båda:

prefix = orddel före grundordet
suffix = orddel efter grundordet

Prefix + grundord:	Grundord + suffix:	Prefix + grundord + suffix:
behålla	hållning	behållning
anhålla	hållare	anhållande
förhålla	hållbar	förhållande

Prefixen och suffixen kan vara betonade eller obetonade:

Betonade prefix:

an-	angripa, ankomst
av-	avtal, avvisa
bi-	biflod, bidrag
er-	erfarenhet, ersätta
*för-	förskola, förarbete
gen-	genväg, genskjuta
hyper-	hyperallergisk, hyperkorrekt
*in-	ingång, inbetalning
miss-	misslyckas, missnöjd
o-	ovan, otrevlig
sam-	samtal, samarbeta
sär-	särskild, särbehandla
till-	tillåten, tillstånd
ultra-	ultraljud, ultramodern
van-	vantrivas, vansinne

Obetonade prefix:

be-	betala, beundra
de-	decentralisera, deformera
*för-	försöka, förklaring
*in-, im-, il-, ir-	intolerant, impopulär
	illegal, irreguljär
kon-	koncentrera, kontakt
inter-	internationell, interjektion

* Det finns ett betonat "för-", som betyder *före,* t.ex. förskola, skola före den riktiga skolan. Det finns ett obetonat "för-" med obestämbar betydelse, t.ex. förstå.
Det betonade "in-" betyder *in,* t.ex. ingång.
Det obetonade "in-", "im-", "il-" och "ir-" betyder *inte,* t.ex. intolerant (inte tolerant).

Betonade suffix:

-aktig	småaktig, varaktig
-bar	bärbar, skenbar
-dom /*dom*/	ungdom, sjukdom
-het	lägenhet, erfarenhet
-lek	kärlek, storlek
-lös	arbetslös, huvudlös
-sam	kostsam, lönsam
-skap	kunskap, vetenskap

Betonade suffix som ensamma bär ordets betoning:

-age /asj/	garage, massage
-ant	debutant, elegant
-ell	informell, karamell
-era	diskutera, fotografera
-eri	bageri, skomakeri
-essa	prinsessa, baronessa
-fon /fån/	telefon, mikrofon
-graf	telegraf, fotograf
-ik	fysik, gymnastik
-inna	väninna, lejoninna
-ism	modernism, socialism
-ist	journalist, pianist
-log /låg/	monolog, psykolog
-är	affär, misär
-ör	frisör, humör

Obetonade suffix:

-are	arbetare, högtalare
-else	ändelse, berättelse
-ing	övning, förklaring
-iker	musiker, politiker
-is	dagis, kompis
-sel	klädsel, trängsel
substantivändelser	bilen, bilar, bilarna
adjektivändelser	roliga, roligare, roligast
verbändelser	talar, talade, talat, talande

I ord som är sammansatta av flera orddelar betonas den första orddelens första betonade stavelse, och den sista orddelens sista betonade stavelse:

lönsam	kärlek	tillåten
lönsamhet	kärlekslös	otillåten
lönsamhetsgrad	kärlekslösheten	barntillåten

21. Ordaccent

I betonad stavelse stiger eller faller melodin:

↗	= accent 1
↘↗	= accent 2

Två svenska ord kan skiljas åt betydelsemässigt inte bara genom vokalens (och därmed automatiskt konsonantens) längd, som i talar – tallar, eller betoningens plats i ordet, som i modern – modern, utan också genom melodin, som i anden – anden.

Anden (en and) har accent 1, som också kallas akut accent eller vanlig intonation. Melodin stiger i den betonade stavelsen, för att sedan falla ner i normalläge i den obetonade stavelsen.

Anden (en ande) har accent 2, som också kallas grav accent eller musikalisk accent. Melodin faller först, stiger sedan snabbt och faller sedan ner i normalläge igen.

Melodikurva accent 1:

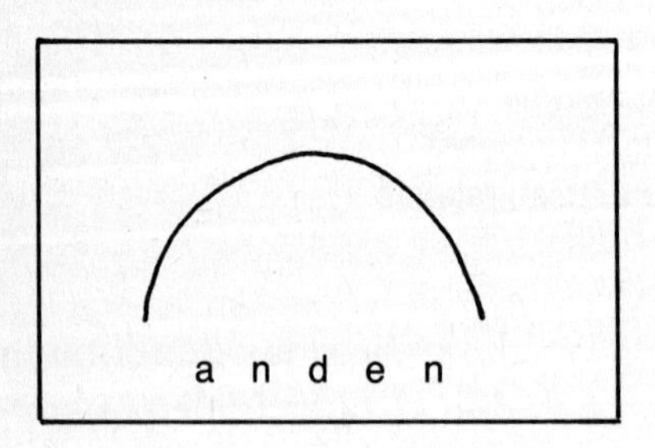

Melodikurva accent 2:

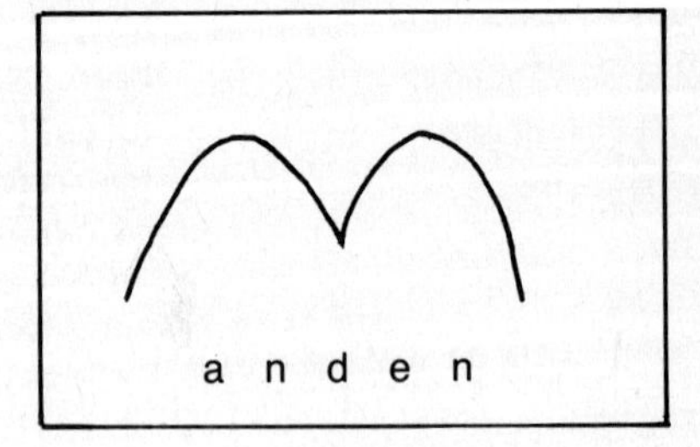

Det finns ca 500 ordpar i svenskan som är lika i allt utom melodin:

Accent 1:	**Accent 2:**
↗ Polen (landet)	╲↗ pålen (en påle)
↗ stegen (ett steg)	╲↗ stegen (en stege)
↗ i stället (ett ställ)	╲↗ i stället (i stället för)
↗ buren (en bur)	╲↗ buren (perf. part. av bära)
↗ tanken (en tank)	╲↗ tanken (en tanke)

Bara betonade ord har accent 1 eller 2. De obetonade orden är lika varandra i melodin.

Regler:

1. Ett enstavigt ord har alltid accent 1.
2. Två- eller flerstaviga ord som är betonade på första stavelsen har accent 2.
3. Ord med två betonade stavelser har accent 2.

1. Ett enstavigt ord har alltid accent 1:

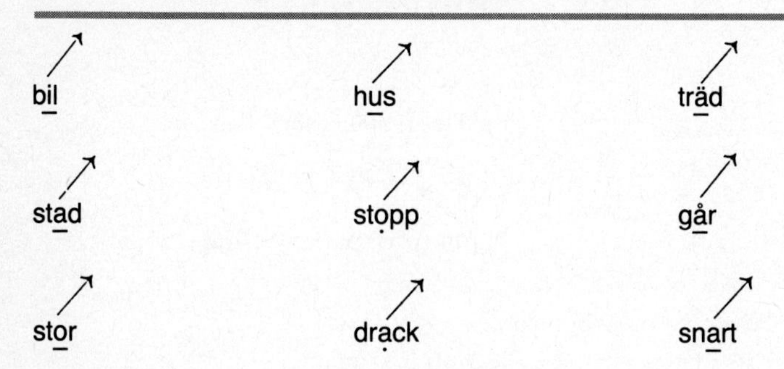

2. Två- eller flerstaviga ord med *en* betonad stavelse, och som är betonade på första stavelsen har accent 2:

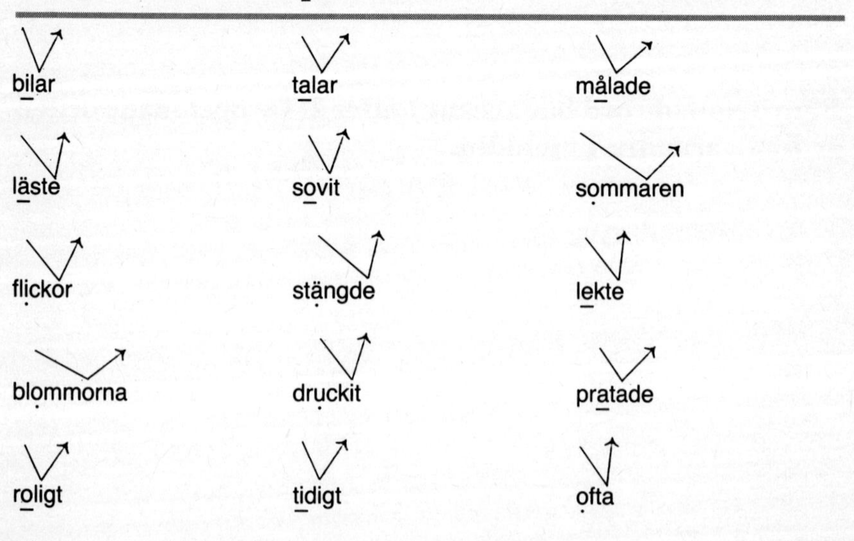

Undantag:

a) Bestämd form av substantiv om den obestämda formen har accent 1:

bilen	huset	trädet
staden	stoppet	bollen
kniven	vattnet	cykeln

b) Substantiv som bildar plural med -er och har omljud:

böcker	städer	händer
fötter	tänder	länder
nätter	rötter	tänger

Men: son – söner

c) Verbformer som slutar på -er:

läser	dricker	springer
blåser	tänker	kommer
köper	lover	händer

d) Adjektiv som slutar på -isk, -iskt och -iska:

indisk	indiskt	indiska
logisk	logiskt	logiska
komisk	komiskt	komiska

e) Komparativformer på -re:

större	längre	högre
bättre	sämre	äldre
yngre	tyngre	mindre

f) Superlativformer på -erst, -ersta:

överst	nederst	borterst
översta	nedersta	bortersta

g) Substantiv som slutar på -is:

dagis	kompis	godis
bästis	hemlis	tjockis
praxis	skepsis	basis

h) Substantiv som slutar på -iker:

musiker fysiker tekniker

klassiker grafiker

i) Övrigt:

måndag verkstad vatten

tisdag riksdag säker

onsdag etc tecken fågel

pengar hundra tusen

Ord som inte är betonade på första stavelsen och som har en betonad stavelse har accent 1 (jfr regel 2):

banan café musik

cigarrer journalist promenera

situation förlåt figurerna

3. Ord med två betonade stavelser har accent 2:

arbeta — skolbok — sommarlov

flickrum — skrivbord — grundform

ologisk — ätbar — kunskap

misstag — tillstånd — ansöka

Nästan alla sammansatta ord har alltså accent 2. I sammansatta ord faller melodin på den första betonade stavelsen, ligger kvar lågt och monotont på de obetonade stavelserna och stiger sedan på den sista betonade stavelsen:

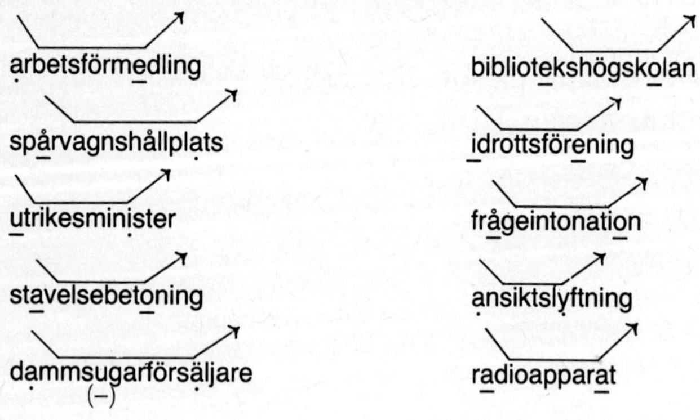

Undantag:

alltför	därifrån	riksdag
fastän	förrgår	härifrån
körsbär	vinbär	naturligtvis
trädgård	varför	varifrån

Namn på personer, städer, länder, företag, varor etc. följer inte accentreglerna:

22. Vokalljuden

Svenskans 22 vokalljud skiljer sig åt både vad gäller kvantiteten (längden) och kvaliteten (hur de låter).

Det är i munhålan som vokalens kvalitet bestäms. Munhålans form avgör hur vokalen ska låta, precis som en ton låter olika på olika instrument. Vi använder tungan och läpparna för att ge vokalen dess rätta kvalitet.

När vi uttalar en vokal har luften fri passage hela vägen från lungorna ut genom munhålan. Stämbanden vibrerar, dvs alla vokaler är tonande.

Man delar in vokalerna i höga och låga, beroende på var tungan är. De delas också in i främre och bakre, beroende på tungans placering i munhålan, och i rundade och orundade, beroende på läpparnas form.

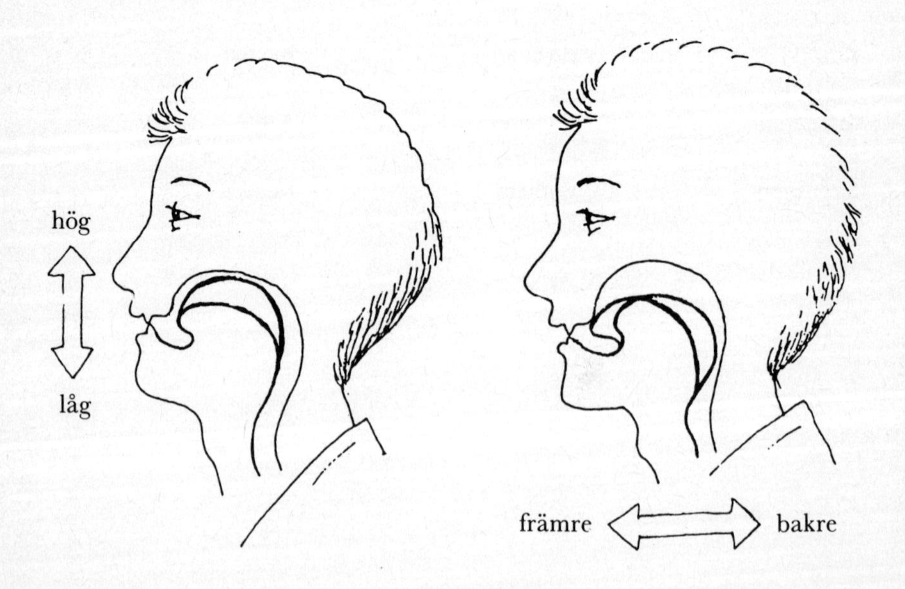

Schematisk bild av vokalernas placering i munhålan:

höga vokaler

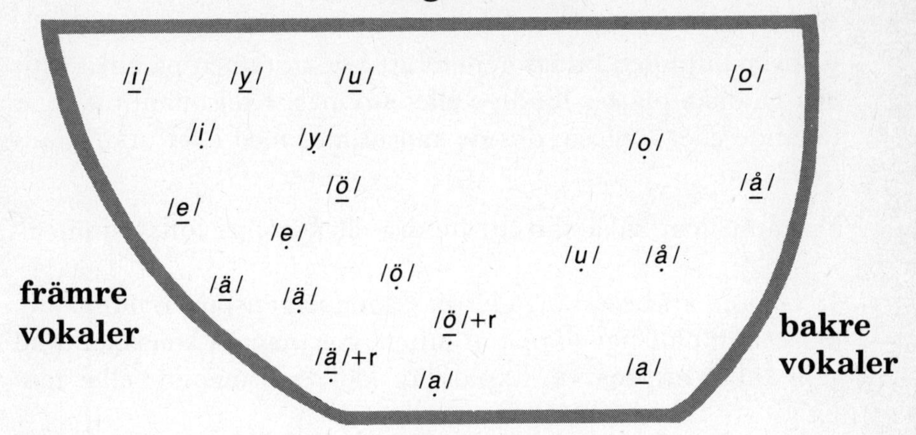

låga vokaler

Långa vokalljud:
Främre, orundade: /*i̱* /, /*e̱* /, /*ä̱* / och /*ä̱* /+r
Främre, rundade: /*y̱* /, /*ö̱* / och /*ö̱* /+r
/*u̱* / är placerat långt fram i munnen och har en speciell läpp-rundning.
Bakre, rundade: /*o̱* /, /*å̱* / och /*a̱* /
/*i̱*/, /*y̱* /, /*u̱* / och /*o̱* / uttalas med en tendens till konsonantljud efter vokalen, /*i̱j* /, /*y̱j* /, /*u̱v* / och /*o̱v* /.

Korta vokalljud:
Främre, orundade: /*ị* /, /*ẹ* /, /*ạ̈* /, /*ạ̈* /+r och /*ạ* /
Främre, rundade: /*ỵ* /, /*ọ̈* / och /*ọ̈* /+r
Bakre, rundade: /*ọ* /, /*ạ̊* /
/*ụ* / bildas mitt i munnen och är rundat.

De korta vokalljuden uttalas lägre än motsvarande långa vokalljud.

23. Konsonantljuden

Konsonantljuden bildas genom att luftströmmen på olika sätt, och på olika platser hindras eller stoppas. Konsonantljuden är tonande eller tonlösa, dvs de kan uttalas med eller utan stämbandston.

Det finns fem olika **sätt** att hindra eller stoppa luftströmmen:

1. Genom att helt stänga luftpassagen någonstans i munhålan, och sedan plötsligt släppa ut luften, gör man ett konsonantljud som kallas **explosiva.** Explosivor kan vara tonande eller tonlösa.

2. Om luften pressas fram genom en mycket trång passage i munhålan bildas en **frikativa.** Frikativor kan vara tonande eller tonlösa.

3. Om man stänger munnen och i stället låter luften gå ut genom näsan, gör man en **nasal.** Alla nasaler är tonande.

4. Genom att låta luften passera på ena eller båda sidorna av tungan gör man en **lateral.** Den enda lateral som finns i svenska är /l /, och den är tonande.

5. Om tungspetsen slår mycket snabbt några gånger strax bakom tänderna, bildas ett /*r* /. Det kallas **tremulant** och är tonande. /*r* / kan också bildas långt bak i munnen.

På följande **platser** stoppar eller hindrar man luftströmmen:

1. Läpp mot läpp.
2. Övertänder mot underläpp.
3. Tungan mot tänderna och tandvallen.
4. Tungspets mot tandvallen.
5. Tungrygg mot hårda gommen.
6. Tungrygg mot mjuka gommen.
7. I struphuvudet.

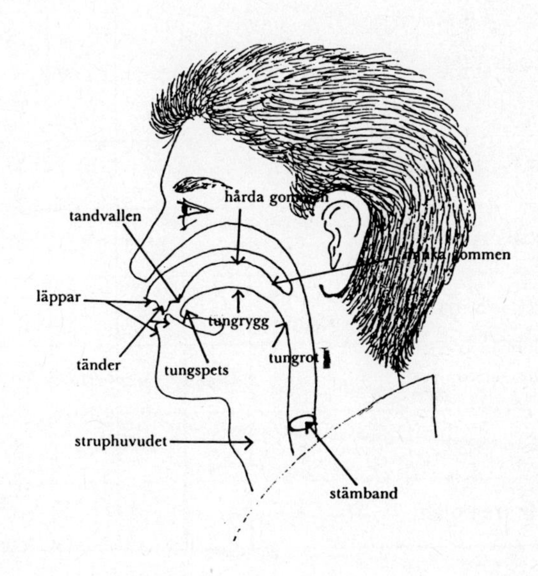

Konsonantschema

Plats:

Sätt:

	1. Läpp mot läpp	2. Övertänder mot underläpp	3. Tungspets mot tänderna	4. Tungspets mot tandvallen	5. Tungrygg mot hårda gommen	6. Tungrygg mot mjuka gommen	7. I struphuvudet
Tonlös explosiva	/p/		/t/	/rt/		/k/	
Tonande explosiva	/b/		/d/	/rd/		/g/	
Tonlös frikativa		/f/	/s/	/rs/	/tj/	/sj/	/h/
Tonande frikativa		/v/			/j/		
Tonande nasal	/m/		/n/	/rn/		/ng/	
Tonande lateral			/l/	/rl/			
Tonande tremulant				/r/			

Många rutor är tomma i konsonantschemat, och det betyder att de konsonantljud som bildas där inte förekommer i svenska. T.ex. har svenska ingen tonande variant av /s/ och /rs/.

/p/, */t/*, */k/*

De tonlösa explosivorna /*p*/, /*t*/ och /*k*/ är alltid aspirerade före betonad vokal och i ordslut, utom efter /*s*/.
Aspirerad betyder att ljuden får extra utandningsluft, som när man uttalar /*h*/:

Aspirerat:

par /p^{h}a̲r/	tog /t^{h}o̲g/	kul /k^{h}u̲l/
napp /nạpp^h/	katt /k^{h}ạtt/	tack /t^{h}ạkk^h/

Oaspirerat:

spara	stod	skulle
gips	natten	yxa

/b/, */d/*, */g/*

De tonande explosivorna /*b*/, /*d*/ och /*g*/ är alltid oaspirerade. De kan göras tonlösa i ordslut, men de blir aldrig hårda, dvs aspirerade:
jobb uttalas inte /*jọpp^h*/
bad uttalas inte /*ba̲t^h*/
hög uttalas inte /*hö̲k^h*/
Man hör alltid skillnad på /*b*/ och /*p*/, /*d*/ och /*t*/, /*g*/ och /*k*/.

/v/

Den tonande frikativan /*v*/ blir aldrig identisk med /*f*/ i ordslut:
hav uttalas inte /*haf*/
liv uttalas inte /*lif*/

/r/

Det finns två olika r-ljud, ett främre och ett bakre.
Det bakre är vanligt i södra Sverige.

/sj/

Det finns också ett främre och ett bakre sje-ljud. Det främre uttalas som /*rs*/.

24. Assimilationer

När man vet hur och var konsonantljuden bildas kan man bättre förstå hur de påverkar varandra i talet. Assimilation betyder att ljuden påverkar varandra, så att de blir mer lika.

/ rd /, / rl /, / rn /, / rs / och / rt / är en sorts assimilation, där **r** har påverkat **d, l, n, s** och **t** så att de uttalas på samma plats som **r,** och har sammanfallit med **r** till ett ljud:

har du / *hardu* / bor ni / *borni* / var då / *vardå* /
varna / *varna* / pärla / *pärla* / mars / *mars* /

/ r / påverkar i sådana fall inte bara den närmaste konsonanten, utan också den som följer därpå:

barnstol / *barnstol* / fortsätta / *fortsätta* /
vårdcentral / *vårdsentral* / förstår / *förstår* /

R + d, l, n, s och **t** uttalas inte alltid som ett ljud. I vissa språkområden tappar man helt bort **r.** I andra uttalas **r** separat.

N före b och p uttalas / *m* /. N är fortfarande en nasal men uttalas på samma plats som **b** och **p:**

vinbär / *vimbär* / bensinpump / *bensimpump* /

N före g och k uttalas /*ng* /, eftersom **n** uttalas på samma plats som **g** och **k:**

en gata /*enggata*/	min kaka /*mingkaka*/
vinglas /*vingglas*/	enkrona /*engkrona*/

De tonlösa konsonanterna påverkar de tonande konsonanterna **b, d, g** och **v** så att de blir tonlösa. Detta gäller både om de står före och efter den tonande konsonanten:

onsdag /*onsta*/	snabbt /*snappt*/
högt /*hökt*/	absolut /*apsolut*/
svagt /*svakt*/	ansvar /*ansfar*/

25. Några ”svåra” ord

aids /*ejds*/
aktie /*aktsie*/
assiett /*asjett*/
baguett /*bagett*/
beige /*besj*/, /*bäsj*/
body-building /*bådibilding*/
boutique /*botick*/
container /*kåntejner*/
crawl /*krål*/
design /*desajn*/
diskjockey /*diskjåcki*/
drive-in /*drajvin*/
eye-liner /*ajlajner*/
free-style /*fristajl*/
guide /*gajd*/
hi-fi /*hajfi*/
jeans /*jins*/
juice /*jos*/
justitie /*justitsie*/
karl /*kar*/
leasa /*lisa*/
live /*lajv*/
milkshake /*milksjejk*/
müsli /*mysli*/
pacemaker /*pejsmejker*/
pension /*pansjon*/
pensionera /*pansjonera*/
pensionär /*pansjonär*/
pizza /*pitsa*/
pizzeria /*pitseria*/
religion /*relijon*/
religiös /*relisjös*/
rouge /*rosj*/
Schweiz /*sjvejts*/
science fiction /*sajens fiksjen*/
show /*sjåv*/
tape /*tejp*/
team /*tim*/
terapeut /*terapeft*/
värld /*värd*/
walkie-talkie /*oåkitåki*/
yoghurt /*jågurt*/

26. Standardspråk – dialekt

De flesta människorna i Sverige har svenska som modersmål. Men svenskan – standardspråket låter inte likadant i hela landet. Man kan ofta höra varifrån i Sverige en svensk kommer.

Intonationen, språkets melodi, är olika i olika delar av Sverige. Vissa konsonantljud uttalas på olika sätt, t ex r-ljudet och sj-ljudet. Vokalljudens antal och kvalitet varierar, och i några områden förekommer diftongerade vokaler. Även reduceringar och assimilationer skiljer sig åt.

De här varianterna av svenskan brukar i dagligt tal kallas dialekter, men vi föredrar beteckningen ”regionalt färgad standardsvenska”. Liksom alla svenskar i stort sett har samma ordförråd och följer samma grammatiska regler, har alla varianter av standardsvenska samma ordbetoning och satsbetoning. Långt och kort vokalljud och melodiförändring i betonad stavelse gäller för all svenska.

Regionalt färgad standardsvenska utgör inget hinder för förståelsen mellan människor. Småländska, värmländska, göteborgska och stockholmska förekommer på radio och i TV. Många artister sjunger eller spelar teater på sin variant av standardsvenska. Många svenskar är stolta över sitt regionalt färgade språk, och är måna om att behålla de uttalsdrag som är speciella för just deras variant.

Det finns ”äkta” dialekter i Sverige. Äkta dialekter skiljer sig från standardsvenska i både ordförråd och grammatik och är ofta svåra att förstå för någon som inte talar dialekten. De människor som talar en sådan dialekt använder den bara i sin hembygd eller med andra som talar samma dialekt. I kontakt med andra svenskar talar man standardspråket.

27. Varför uttal?

Om man uttalar ett ord fel blir resultatet antingen ett icke-existerande, meningslöst ord, eller ett existerande men inte avsett ord.
Vi låter ordet "skriva", korrekt uttalat / *skriva* /, vara exempel för de uttalsfel man kan göra:

1. Fel ljud — / skriba /, / skreva /
2. Fel vokallängd — / skriva /
3. Fel betoning — / skriva /
4. Utelämnande av ljud — / kriva /, / riva /
5. Inskott av ljud — / sekeriva /, / eskriva /
6. Fel accent — / skriva /

Dessutom kan flera av dessa fel förekomma tillsammans i ett ord:

/ kriba /, / keriva /, / skreba /

Samtliga dessa fel resulterar i meningslösa eller icke avsedda ord, och kan leda till att man blir missförstådd eller inte alls förstådd.

Om vi förutsätter att en mening är grammatiskt riktig och att alla ord är korrekt uttalade, kan budskapet ändå missuppfattas genom betonings- och intonationsfel. Genom fokusering och melodi visar man sina känslor inför det man säger, och om man t ex betonar fel ord kan man låta arg, ointresserad eller oartig utan att mena det:

/ Varför ringde du inte? /

Lyssnaren uppfattar frågan som aggressiv och reagerar därför på ett sätt som gör talaren osäker.
Ett vanligt fel är att inte markera slutintonationen:

/ Jag ska skriva till dig! /

Lyssnaren uppfattar inte att meningen är avslutad, utan väntar på fortsättning. Talaren undrar varför lyssnaren inte svarar. Kommunikationen blir förvirrad.
Alltså: Ett mycket dåligt uttal gör all kommunikation i princip omöjlig. Om folk inte förstår vad man säger blir alla kontakter jobbiga och pinsamma.
Även med ett halvbra uttal riskerar man att bli missförstådd. En felaktig betoning och melodi gör det ansträngande att lyssna och risken är stor att känslor och attityder missuppfattas.
Syftet med uttalsträning är inte att lära sig låta som en svensk. Mycket få vuxna kan lära sig att uttala svenska utan brytning. Men det är fullt möjligt att ha kvar sin brytning och ändå ha ett gott uttal, dvs ett uttal med bra ordbetoning, vokallängd, satsbetoning och melodi.
Därför tränar man uttal!

28. Teckenförklaringar

Tecken	Förklaring	Exempel
g	bokstav	gilla
/j/	ljud	/*jilla*/
/ /	uttal	juice /*jos*/
.	kort, betonat vokalljud	hoppas
_	långt, betonat vokalljud	rolig
☐	stavelse	lä | ra | re
‾	betonad stavelse	lärare
ᵕ	obetonad stavelse	lärare
V	vokal	a
K	konsonant	b
/	reducering	tidning
ᵕ eller ⌒	ett ljud	skjorta
↗	melodiförändring i betonad stavelse	huset
↘	slutintonation	Vi ses imorgon!

29. Om du vill läsa mer

Gábor Harrer: **Talad svenska 1. Ordprosodi,** Förlaget Auris 1986

En mycket utförlig genomgång av svenska ords betoningsmönster och accenter. Bra för både lärare och elever. Innehåller en uttalsordlista baserad på Lexins översättarunderlag för minilexikon. Till boken finns ett övningshäfte. Till serien "Talad svenska" planeras ytterligare häften om ljudkvalitet och satsprosodi.

Robert Bannert: **Praktisk lingvistik 3: Ordprosodi i invandrarundervisningen,** Lunds universitet 1979

Bra, men kanske lite teoretisk lärarbok liksom:

Robert Bannert: **Praktisk lingvistik 5: Svårigheter med svenskt uttal; Inventering och prioritering,** Lunds universitet 1980

Redogör för uttalssvårigheterna för 25 olika språkgrupper.

Claes Garlén: **Svenskans fonologi i kontrastiv och typologisk belysning,** Studentlitteratur 1988

Mycket bra uppslagsbok för lärare. Går igenom olika språkljud, fonologiska regler, prosodi, relationen skrift-stavning-uttal i olika språk, samt innehåller en kortfattad översikt över de fonologiska systemen i 36 språk. Kräver grundläggande fonetiska kunskaper.

Clas-Christian Elert: **Allmän och svensk fonetik,** A&W 1966

Grundbok i fonetik.

Lars-Gunnar Andersson och Per Lindblad: **Svenskans beskrivning 14: Kraftuttryck och intonation,** Lunds universitet 1983

En intressant artikel om känslors inverkan på prosodin. För avancerade elever och lärare.

Olle Kjellin: **Svensk prosodi i praktiken,** Studieförlaget 1978

Den första praktiska boken om uttal för invandrare, med tonvikten vid rytm och intonation. För både elever och lärare.

Ylva Slagbrand och Bo Thorén: **Svensk basprosodi – en exempelsamling,** Skolöverstyrelsen 1983

Systematiska drillövningar av några vanliga betoningsmönster att använda i uttalsundervisning.

Ordböcker med uttalsanvisningar:

Lexin: **Svenska ord – med uttal och förklaringar,** Skolöverstyrelsen, SIL och Esselte Studium 1984

Oss veterligt det enda svenska uppslagsverk med uttalsangivelser för alla uppslagsord. (Har ett annat markeringssystem än vårt; . under betonad vokal, : efter långt ljud.) Finns översatt till ett antal vanliga invandrarspråk.

Bonniers svenska ordbok 1986

Har betonings- och uttalsangivelser bara för ord vars uttal avviker från "de viktigaste reglerna för svenskt uttal".